Español
para chicos y grandes
An Interactive Spanish Course for Children and Parents
Manual de gramática y ejercicios
(Grammar and exercise manual)
Level 1

Rita Wirkala

Illustrations: Matt Schutte
Editor: Karen Wirkala

All Bilingual Press

609 N 90th St. Seattle, WA 98103
www.allbilingual.com

ISBN 13:978-0-9745032-1-9
ISBN 10:0-9745032-7-4

Printed in the United States by Morris Publishing
3212 East Highway 30
Kearney, NE 68847
1-800-650-7888

A Word to Parents and Teachers:

This Grammar and Exercise Manual was designed for use together with the text **Español para chicos y grandes**, following it step by step. It reinforces Spanish language acquisition with various kinds of exercises and activities such as matching words, filling in the blanks, coloring, locating countries and cities on a map, crossword puzzles and auditory exercises.

To get the most benefit from the use of this teaching material, we recommend following this sequence:

- First, work with the **text**, learning the new vocabulary and sentence structure presented in each chapter.
- Next, move to the corresponding chapter in the **manual**. Have the student or students do all the exercises on their own, and then show them how to check their answers in the answer key.
- When doing the auditory exercises, have the student repeat the words and sentences at loud to develop speaking fluency.
- After finishing the chapter in the **manual**, return to the **text**, and proceed to the next chapter.

The **manual** contains simple explanations of basic rules which will help parents and older children understand the mechanisms of the language. You may need to return to these explanations from time to time in the course of your study.

TABLE OF CONTENTS

Lección 1: Las letras

PARA ESCRIBIR *(to write)*

1. Las letras *(the letters)* del alfabeto

Here are **las letras del alfabeto** written as whole words.
Write the corresponding letter by the word.

For example: eme __m__

1. efe _____   4. ele _____   7. eñe _____

2. hache _____   5. elle _____   8. doble ve (or uve doble) _____

3. jota _____   6. ene _____   9. i griega _____

Work on your own, then check your answers in your Textbook.

2. Las palabras *(the words)*

Here are the names of animals from the Textbook, p.10.
They are missing the first **letras**. Can you complete them?

1. ____ ama   2. ____ urro   3. ____ orro

4. ____ aca   5. ____ so   6. ____ ato

7. ____ erro   8. ____ beja   9. ____ andú

Work on your own, then check your answers with the Answer Key.

PARA EMPAREJAR *(to match)*

Draw a line to match these Spanish words with their meaning.

nombre   *letters*
apellido   *words*
¿Cómo se escribe...?   *name*
letras   *last name*
palabras   *How do you write...?*

Check the answers with your Textbook, p.11.   5

PARA ESCUCHAR *(to listen)*

Read the words to get familiar with them. Then, listen to the CD and make a circle only around the **palabra** you hear:

	Columna A	Columna B	Columna C
1.	león	rata	serpiente
2.	tigre	unicornio	vaca
3.	zorro	koala	llama
4.	mosquito	nutria	ñandú
5.	oso	perro	cocodrilo
6.	dinosaurio	elefante	flamenco
7.	gato	hipopótamo	iguana
8.	jirafa	zorro	camisa
9.	casa	rosa	pelota
10.	mesa	osito	bufanda
11.	guante	veinte	media
12.	buey	huevos	auto
13.	viuda	Europa	¡Adiós!
14.	Suiza	aire	teléfono
15.	bebé	limón	café

Check your answers with the Answer Key.

NOMBRE: _____ FECHA:_____CLASE_____

Lección 2: Los saludos

PARA EMPAREJAR

1. Review exercise

Draw lines to match the Spanish sentences with their English meaning

¿Cómo estás?   What's your name?
¿Cómo te llamas?   And you?
Muy bien   How are you?
¿Y tú?   Very well
Regular   How do you say...?
¿Cómo se dice...?   So so...

Check the answers with your Textbook.

2. ¡Hola!

These sentences are out of order. Can you re-write them inside the bubbles for Alicia and Francisco?

Bien
Bien, ¿y tú?
¡Hola! ¿Cómo estás?

Check your answers with the Answer Key.

PARA ESCRIBIR

1. ¿Cómo te llamas?

These sentences are incomplete.
Fill in the missing word with one of these: **me   llamas   llamo**

¿Cómo te ....?

.... llamo Andrea. ¿Y tú?

Me .... Carlos

Check your answers with the Answer Key.

2. Más saludos

Using the vocabulary in your Textbook, p.13, write the expressions in Spanish.

Modelo: ¿Cómo se dice "*Good evening* " en Español?

Se dice ....**Buenas noches**.......................

a. ¿Cómo se dice "*Good afternoon* "?
   Se dice...

b. ¿Cómo se dice "*Good morning, Sir* "?
   Se dice ....

c. ¿Cómo se dice "*Good afternoon, Miss* "?
   Se dice ....

d. ¿Cómo se dice "*Good afternoon, Mrs* "?
   Se dice ....

e. ¿Cómo se dice "*Good night* "?
   Se dice ....

Check the answers with your Textbook.

NOMBRE: _____ FECHA:_____CLASE_____

8

UN POCO DE GEOGRAFÍA: Las capitals

A. Look at this map in your textboook (p. 15)
B. Now look at this map. Here you have the names of the capitals of each country. Write the name of each country above the line provided. For example, **Santiago** ___Chile___

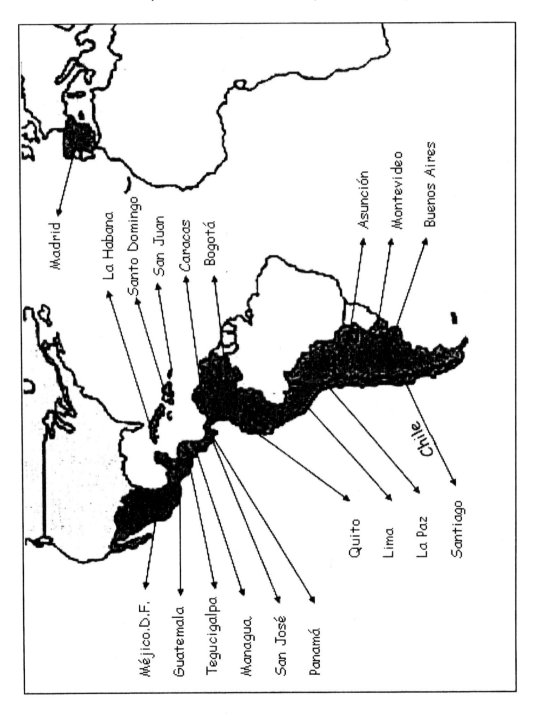

C. Las capitales

Modelo: ¿Cuál *(which)* es la capital de Argentina?

Es **Buenos Aires.**

1. ¿Cuál es la capital de Chile? Es ....
2. ¿Cuál es la capital de Uruguay? Es ....
3. ¿Cuál es la capital de Perú? Es ....
4. ¿Cuál es la capital de Colombia? Es ....
5. ¿Cuál es la capital de Venezuela? Es ....
6. ¿Cuál es la capital de Costa Rica? Es ....
7. ¿Cuál es la capital de Nicaragua? Es ....
8. ¿Cuál es la capital de México? Es ....
9. ¿Cuál es la capital de Cuba? Es ....
10. ¿Cuál es la capital de España? Es ....

D. Frases afirmativas y negativas

Answer the questions with complete sentences.

Modelo: María es de México. Ella habla español, ¿verdad?
Sí, ella habla español.

José es de Haití. Él habla español, ¿verdad?
No, él no habla español.

(Look at the question: **¿Verdad?** = right?)

1. Mario es de Cuba. Él habla español, ¿verdad?

....

2. Ernesto es de Paraguay. Él habla español, ¿verdad?

....

3. Cristina es de Ecuador. Ella habla español, ¿verdad?

....

4. Caio es de Brasil. Él habla español, ¿verdad?

....

Check your answers with the Answer Key.

NOMBRE: _____ FECHA:_____CLASE_____

Lección 3: Los números

PARA ESCRIBIR

1. ¿Cómo se escribe?

Write the appropriate numbers by each word.

uno ....cuatro ....ocho....................seis ....

tres ....trece ....dieciocho.............catorce ....

veinte ....dos ....cinco ....quince ....

diecinueve .... nueve ....diez .... dieciséis ....

siete ....once ....doce ....diecisiete..............

Check the answers with your Textbook, p.16.

2. ¿Cuántos hay? *(How many are there....?)*

Look at the numbers in parenthesis and complete the sentences, writing "**Hay**" plus the numbers in words.

Modelo: ....**Hay**.... ....**dos**..............(2) leones en la selva.

1. ....(5) tigres en el zoológico.

2. ....(20)pájaros en el patio.

3. ....(18) llamas en el corral.

4. ....(4) serpientes en el árbol.

5. ....(15) jirafas en el parque.

6. ....(9) hipopótamos en el lago.

7. ....(8) dinosaurios en el museo.

Check the answers with your Textbook.

PARA MARCAR *(to mark)*

¿Está bien o está mal?

Look at these Math problems:
If they are correct, mark the box for **"está bien"**.
If they are not, mark the box for **"está mal"**.

a. cuatro + siete = once   ☐ está bien   ☐ está mal

b. seis – cinco = dos   ☐ está bien   ☐ está mal

c. once – uno = diez   ☐ está bien   ☐ está mal

d. trece – ocho = dieciocho   ☐ está bien   ☐ está mal

e. catorce – cuatro = nueve   ☐ está bien   ☐ está mal

PARA ESCUCHAR Y ESCRIBIR

Listen to the speaker in the CD and write the numbers you hear.

1. _____   2. _____   3. _____

4. _____   5. _____   6. _____

Check your answers with the Answer Key.

NOMBRE: _____ FECHA:_____CLASE_____

Lección 4: Los colores

Para chicos

With your color pencils, color the "*luces de tránsito*".

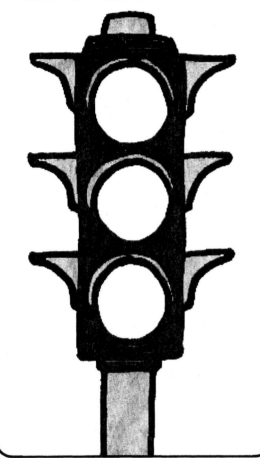

Para chicos y grandes

Answer the questions:

¿Qué color indica *PARE* or *ALTO?*

....

¿Qué color indica *PRECAUCIÓN?*

....

¿Qué color indica *SIGA* or *CONTINÚE?*

....

PARA LEER *(to read)*

Attention!

The words for colors ending in "o" have a feminine form, which ends in "a". The gender is given by the object.

Example: La rosa es roja - El coche es rojo

To make "**plurals**" add an "**S**" after a vowel.

Example: (rojo = rojos) or "**ES**" after a consonant (azul = azules)

Check your answers with the Answer Key.

PARA ESCRIBIR: ¿De qué color es? ¿De qué color son?

Modelo: el burro es marrón
los burros son marrones

1. ¿el elefante? Es ....

2. ¿el tigre? Es .... y...................

3 ¿las naranjas? Son ....

4. ¿el chocolate? Es ....

5 ¿la llama? Es ....

6. ¿el cielo *(the sky)*? Es ....

7. ¿las luces del tránsito? Son ...., ... y ....

8. ¿El auto *(or* coche) de tu familia? Es ....

PARA ESCUCHAR Y COLOREAR

Have your color pencils ready, then listen to the CD and color the circles with the color you hear.

ANIMALES   COSAS *(Things)*

1. La abeja es   ◯ ◯   6. La pelota es   ◯

2. El burro es   ◯   7. La casa es   ◯

3. La rata es   ◯   8. La rosa es   ◯

4. Las naranjas son   ◯   9. El auto es   ◯

5. El cocodrilo es   ◯   10. La cebra es   ◯ ◯

Check your answers with the Answer Key.

NOMBRE: _____ FECHA:_____CLASE_____

Lección 5: En la clase
¿Qué hay? ¿Dónde está?

PARA ESCRIBIR

Look at the objects in the *sala de clase* and write the words.

Check the answers with your Textbook, p.20.

_____

_____

_____   _____

_____

_____   _____

_____

¡Atención!
Use **ESTÁ** or **ESTÁN** to indicate **WHERE** things or people **ARE** at the moment, that is, **PLACES** or **LOCATION**

PARA ESCUCHAR Y EMPAREJAR

Listen to the CD and draw a line to match the two columns according to what you hear.

Columna A	Columna B
1. La mochila está...	... en la pared
2. Los papeles están...	... en el pupitre
3. Los libros están....	.. debajo de la mesa
4. El lápiz está...	... en la mochila
5. El reloj está...	... en el piso

CRUCIGRAMA: Letras revueltas

En este crucigrama hay objetos de la clase escondidos *(hidden).*
Use a highlighter to mark the Spanish words you find.

Words in English:

book
floor
student desk
chair
eraser
garbage
table
notebook
paper
pencil

```
m  i  s  l  i  b  r  o  c  a  s
a  m  o  c  u  a  d  e  r  n  o
l  á  p  i  z  s  a  p  r  o  m
o  p  e  r  p  u  p  i  t  r  e
p  a  p  e  l  r  u  s  s  i  s
e  s  i  l  l  a  g  o  m  a  a
```

Check your answers with the Answer Key.

NOMBRE: _____ FECHA:_____CLASE_____

Lección 6: ¿Qué tienes?

TENER = *TO HAVE*

PARA LEER *(to read) ¿tiene, tengo,* or *tienes?*

To decide which form of *tener* to use, you have to look at the subject (person). Is it **yo, tú, él or ella?**

¿Recuerdas?

Yo tengo = I have
Tú tienes = You have
Él or Ella tiene = He or She has

PARA ESCRIBIR Y EMPAREJAR

Fill in the blanks with one form of **tener**.
Then draw a line to match the sentences with the pictures.

a. María Luisa ....una flor.

b. Yo ....un perro enorme.

c. ¿Tú ....una bicicleta?

d. ¿El profesor .... un reloj?

Check your answers with the Answer Key.

PARA COMPLETAR

1. ¿Cuántos años tienes? *(How old are you?)*

Look at the dialogues and complete the missing words

Check your answers with the Answer Key.

A. ¿Cuántos años . . . . tú?

B. Tengo 10 . . . .

C. ¿Cuántos años tiene . . . . ?

D. Tiene 10 . . . . ¡Es viejo!

E. Y tú, ¿ . . . . años tienes?

F. . . . . veinte años.

NOMBRE: _____ FECHA:_____CLASE_____

2. ¿La maestra, tú o yo?

Fill in the blank with one of these subjects *la maestra / yo / tú*
They have to "**agree**" with the verb form: **tiene, tengo, tienes**

a. _____La maestra_____ tiene un coche nuevo.

b. _____ tengo unos libros.

c. ¿ _____ tienes un cuaderno?

d. _____ tengo unas flores en mi casa.

e. _____ tiene guantes rojos

f. ¿Qué tienes _____ en la mano?

PARA ESCUCHAR Y MARCAR *(to listen and mark)*

Listen to the CD and check the corresponding boxes according to
what you hear.

a. María Luisa tiene:

- [ ] *un coche azul*
- [ ] *unos lápices*
- [ ] *15 años*

b. La maestra tiene:

- [ ] *un coche blanco*
- [ ] *un escritorio*
- [ ] *una bicicleta*

c. Yo tengo:

- [ ] *unos libros*
- [ ] *16 años*
- [ ] *una casa pequeña*

d. ¿Tú tienes:

- [ ] *doce años?*
- [ ] *un reloj?*
- [ ] *un bolígrafo amarillo?*

e. Mi perro tiene:

- [ ] *una casa pequeña*
- [ ] *11 años*
- [ ] *un escritorio*
- [ ] *una mesa*

Check your answers with the Answer Key.

Palabras femeninas y masculinas

Masculine words generally end in "o" or "e", like in **bolígrafo, coche, libro**
Feminine words generally end in "a", like in **mesa, ventana, puerta**

But, there are many exceptions to the rule. Por ejemplo *(For example)*:
la clase. (it is feminine) or *el día* (it is masculine).

Para dibujar :

Think about the things you possess or you do not possess.
Using the vocabulary you already know, *dibuja tres cosas* on this page. Under each
picture write:

  "Yo tengo (or, yo no tengo) una.....................(for a feminine word) *or*
  "Yo tengo (or, yo no tengo) un ....(for a masculine word)

Para escribir:

Answer the questions with positive or negative sentences.
Exemple: *¿Tú tienes un coche?*
        No, yo no tengo un coche.

1) *¿Tú tienes un teléfono celular?* ....

2) *¿Tú tienes una computadora?* ....

3) *¿Tú tienes una motocicleta?* ....

4) *¿Tú tienes muchos amigos?* ....

Lección 7: Los días de la semana

1. El calendario

Look at the calendar below and fill in the blanks with the subjects you have at school each day. You can use:

matemáticas, inglés, español, ciencias sociales, educación física, música

LUNES	MARTES	MIÉRCOLES	JUEVES	VIERNES
_____	_____	_____	_____	_____
_____	_____	_____	_____	_____
_____	_____	_____	_____	_____
_____	_____	_____	_____	_____
_____	_____	_____	_____	_____

2. Tu familia:
Answer the questions either by checking the box or writing the days of the week.

1) ¿Qué días trabaja tu papá o mamá? ☐ *Todos los días*

☐ *De lunes a viernes*

Trabaja los ....

2) ¿Qué días trabaja tu papá o mamá

en el jardín?   ☐ *sábado*

☐ *domingo*

☐ *no tenemos jardín*

Trabaja el ....

3) ¿Qué días tu familia mira *(watch)* **TV?**   ☐ *todos los días*

☐ *nunca*

Miramos TV los ....

PARA ESCRIBIR

Answer the **preguntas** *(questions)*

¿Qué día es hoy? Hoy es ....

¿Qué día es mañana? Mañana es ....

¿Qué días tienes clase de español? Tengo clase de español los ....

....

¿Qué días no tienes clase de español? Los ....

¿Cuál es tu día favorito? Mi día favorito es ....

¿Por qué es tu día favorito? Porque tengo (or, no tengo) ....

....

PARA ESCUCHAR Y ELEGIR *(to listen and choose)*

Listen to the CD and circle the **palabras** *(words)* you hear.

1. Hoy es   LUNES   MARTES   MIÉRCOLES   JUEVES   VIERNES

2. Mañana es   LUNES   MARTES   MIÉRCOLES   JUEVES   VIERNES

3. Mi día favorito es   LUNES   MARTES   MIÉRCOLES   JUEVES   VIERNES

   ...porque tengo   ESPAÑOL   MÚSICA   INGLÉS

4. No tengo clase los   MIÉRCOLES   JUEVES   SÁBADOS   DOMINGOS

Check your answers with the Answer Key.

NOMBRE: _____ FECHA:_____CLASE_____

Lección 8: Los números de 20 a 100

PARA ESCRIBIR

1. Write the corresponding numbers under each word.

diez   veinte   veinticinco   treinta   treinta y dos

cuarenta   cuarenta y seis   cincuenta   cincuenta y ocho

sesenta y tres   setenta   setenta y nueve   ochenta

ochenta y uno   noventa   noventa y cuatro   cien

2. Write out the numbers in words

1. 60 ....
2. 70 ....
3. 66 ....
4. 31 ....
5. 40 ....
6. 54 ....
7. 90 ....
8. 100 ....
9. 87 ....
10. 72 ....

Check your answers with your Textbook.

PARA LEER

These are variations of the words **mucho** *(a lot)* and **poco** *(a little)*:
muchos / muchas = many (masculine and feminine forms)
pocos / pocas = a few (masculine and feminine forms)

PARA ESCUCHAR Y ELEGIR

Listen to the CD and make a circle around the **números** you hear.

a. En mi clase hay (**25** - **35** - **15**) estudiantes.

b. Hay (**5** - **25**) chicas y (**10** - **3**) chicos.

c. Hay (**pocas** – **muchas**) chicas y (**pocos** - **muchos**) chicos.

d. En la sala de música hay (**26** - **37** - **47**) instrumentos.

e. En la banda hay (**50** - **5** - **15**) músicos.

PARA ESCRIBIR

Fill in the blank with the appropriate word:

muchos   muchas   pocos   pocas

1. En el parque hay 100 árboles. Hay ....

2. En el circo hay 4 animales. Hay ....

3. En el zoológico hay 15 llamas. Hay ....

4. Yo tengo 2 clases por la tarde. Tengo ....

Check your answers with the Answer Key.

NOMBRE: _____ FECHA:_____CLASE_____

Lección 9: La hora

How do we ask and answer questions about the time?
For the question, use **ES**. For the answer, use **SON** (except for "una").

Example: ¿Qué hora es?
             Son las ocho (or) Es la una y diez.

PARA ESCRIBIR

1. El Reloj

Answer the question in words.

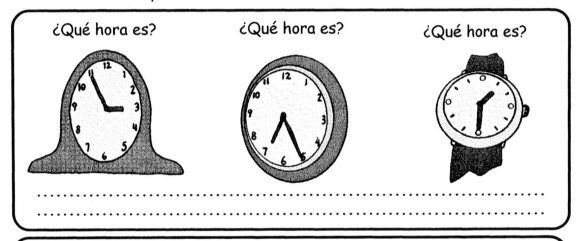

¿Qué hora es?   ¿Qué hora es?   ¿Qué hora es?

....

....

Atención: AM: de la mañana / PM: de la tarde *or* de la noche

2. ¿De la mañana, de la tarde o de la noche?

Look at the time and re-write it in words.

Modelo: 2:40 PM   (Son las dos y cuarenta de la tarde)
             8:10 AM   (Son las ocho y diez de la mañana)

a) 11:05 PM..

b) 5:15 PM..

c) 7: 30 AM..

d) 4:24 AM ....

e) 1:20 PM ....

Check your answers with the Answer Key.

3. La hora en el mundo

Look at the map and answer the question ¿Qué hora es en ..... ?

Modelo: Qué hora es en Nueva York?
Son las siete de la mañana.

1. ¿Qué hora es en Buenos Aires?

....

2. ¿Qué hora es en Guatemala?

....

3. ¿Qué hora es en la ciudad de México?

....

4. ¿Qué hora es en Los Ángeles? ....

5. ¿Qué hora es en Brasilia? ....

Check your answers with the Answer Key.

NOMBRE: _____ FECHA: _____ CLASE_____

Lección 10: Las estaciones y las fechas

PARA ESCRIBIR

Remember:

estación = season
cumpleaños = birthday
mes = month; **meses** = months
el tiempo = the weather

1. ¿Qué estación es?

Write the **estación** under each drawing.

a. Es el ....

b. Es la ....

c. Es el ....

d. Es el ....

2. Más preguntas

a. ¿Cuántos meses hay en un año? Hay ....

b. ¿Qué fecha es hoy? Es el .... de ....

3. Para completar

a. Los meses del verano son junio, ... y ....

b. Los meses del otoño son septiembre, ... y ....

c. Los meses del invierno son diciembre, ... y ....

d. Los meses de la primavera son marzo, ... y ....

e. La Navidad (*Christmas*) es el .... de ....

f. El Año Nuevo *(New Year)* es el .... de ....

g. El día de la independencia de los Estados Unidos *(United States)*

   es el .... de ....

h. Mi cumpleaños es el .... de ....

i. Tengo .... años

j. Mi estación preferida es ....

k.

NOMBRE: _____ FECHA:_____CLASE_____

4. El tiempo

Write the words for **El tiempo** under each drawing.

Por ejemplo:

HACE VIENTO

a. Está ....

b. Hace ....

c. Hace ....

d. Está ....

e. Hace ....

f. Está ....

g. Hace ....

PARA ESCUCHAR y ESCRIBIR

Listen to the dialogue in the CD and fill in the blanks with the **palabras** you hear.

Hoy es el (1) .... de (2) ....

Es mi (3) ....

Hoy no (4) .... Hace 80 grados.

Hace muy buen (5) ....

Pero, tengo (6) ....

¡Es (7) ....!

Check your answers with the Answer Key.

Lección 11: Los animales

PARA ESCRIBIR

¿Recuerdas *(do you remember)* **el nombre?**

Write the name of each animal under its picture.

PARA EMPAREJAR

The names of these animals and their voices are scrambled.
Match each animal with its sound by writing the letter by the animal,
in the space provided.

1. El burro...d....   a) toc, toc toc...

2. Los pollitos........   b) ¡quiquiriqui!

3. El gallo........   c) ¡guau, guau!

4. El perro.........   d) ji jo ji jo

5. El pato y los patitos.......   e) uuuuuuuuuuuu

6. El gato..........   f) co co, co co co

7. La vaca..........   g) ¡pío, pío!

8. La oveja.........   h) cuic, cuic,

9. El lobo ....   i) cuac, cuac

10. El ratón ....   j) ¡miaaauuuu!

11. La gallina ....   k) bjeee, bjeee

12. El pájaro carpintero.........   l) muuu...

13. How would you write the sound for el CABALLO *(the horse)*?...............

PARA ESCUCHAR Y ELEGIR

Listen to the CD and make a circle around the ANIMAL you hear.

1. Mi amiga tiene tres   **patitos**   **perritos**   **pajaritos**

2. Daniel tiene un   **perro**   **carro**   **zorro**

3. El   **sapo**   **mono**   **pato**   es amarillo

4. La   **vaca**   **llama**   **foca**   está en el corral

5. La   **abeja**   **oveja**   **coneja**   se llama "Dolly"

Check your answers with the Answer Key.

NOMBRE: _____ FECHA:_____CLASE_____

Más pronombres personales

PARA EMPAREJAR

1. Look at the English personal pronouns (I, you, he, she, we and they) and match them to the corresponding Spanish ones, drawing a line.

English	Spanish
I	Tú
You	Nosotros
He	Ellà
You (formal)	Yo
She	Usted
You all	Ellos / Ellas
They	Ustedes
We	Él

Check the answers with the Textbook, p. 40

2. Look at the "people" in the first column and match them with the pronoun in the second column.

Tú y yo	Él
1. Mi amigo	Ellas
2. Mike y Rob	Nosotros
3. Mi maestra	Ustedes
4. Mary y Pat	Ellos
5. Tú y tus amigos	Ella
6. Sr. Torres	Usted

Check your answers with the Answer Key.

PARA ESCRIBIR: Dos diálogos

Review your new verbs **"Querer"** *(to want)*, Textbook p. 40
and **"Ir"** *(to go)*, Textbook p. 41. Then:

Fill in the blanks with the corresponding verb forms.
Look at the pronouns to decide which form you will use.

Diálogo 1:"IR" (voy – vas –va – vamos – van)

El conejo: ¿Adónde .... tú, a esta hora?

La tortuga: Yo .... a escuela.

El conejo: *(¿ Ella ....a la escuela? Pero (but) ¡son las*

seis de la tarde!)

Diálogo 2: "QUERER"(quiero – quieres – quiere – queremos – quieren)

Las abejas: ¿Qué .... tú?

El oso: ¿Yo? Nada, nada *(nothing, nothing).* Pues *(well)*... Sí,

Yo .... un poco de su deliciosa miel *(honey)*

Las abejas: ¡Y nosotras no ....osos por aquí! *(around here)*

Check your answers with the Answer Key.

NOMBRE: _____ FECHA:_____CLASE_____

Lección 12: La familia

PARA ESCRIBIR

1. DESCRIPCIONES

Write a description of your family or some member of your family.
Use the vocabulary from your textbook p.43.

Por ejemplo: Mi hermano Horacio es inteligente y humorista.
Mi familia es regular. Somos cuatro.
(For **familia** you can use: **pequeña, regular or grande**)

Para chicos

Chose among these: **mamá, papá, hermano, hermana, familia**

Mi .... es ....

Mi .... es ....

Mi .... es ....

Para grandes

Chose among these: **esposo, esposa, hijo, hija.**

Mi .... es ....

Mi .... es ....

Mi .... es ....

2. ¿Cómo es? ¿Cómo son?
Look at the drawings and
write the adjective.

a) La niña (girl) es
....

b) La señora es
un poco ....

c) El señor es
....

PARA EMPAREJAR

Look at the adjectives in column A and match them with their opposite in column B. Add the letter by the space provided.

A

1. gordo..C...
2. responsable.....
3. simpático.......
4. rubio........
5. alto ....
6. tonto *(silly)*.......
7. guapo........
8. morena........
9. perezoso.......

B

a) bajo
b) antipático
c) delgado
d) irresponsable
e) moreno
f) rubia
g) estudioso (or trabajador)
h) inteligente
i) feo

PARA LEER Y MEMORIZAR: *(Review of verbs)*

Verbs endings change for each "person". Look at p. 29 of this workbook to review these "persons" or personal pronouns, as they are called.
(I, you, he, etc)

You know some of the verbs and their different forms. Here are all the forms for some verbs we have been using: to be, to have, to want and to go.

¡Atención!

Ser (soy, es, son...) and **Estar** (estoy, estás, están...) are two forms of **"to be"**. Don't worry about the distinction now.
Just remember to use:

"es" for descriptions   "está" for places
Ex: *Él es simpático*   Ex: *Ella está en la clase.*

Estar = *To be (to say where people/things are)*
Forms = Yo estoy, Tú estás, Usted está, Él está,
        Nosotros estamos, Ustedes están, Ellos están

Ser = *To be (to indicate what people/things are or to describe them)*
Forms = Yo soy, Tú eres, Usted es, Él es, Nosotros somos, Ustedes son,
        Ellos son.

Tener = *To have*
Forms = Yo Tengo, Tú tienes, Usted tiene, Él tiene,
        Nosotros tenemos, Ustedes tienen, Ellos tienen.

Querer = *To want*
Forms = Yo quiero, Tú quieres, Usted quiere, Él quiere,
        Nosotros queremos, Ustedes quieren, Ellos quieren.

Ir = *To go*
Forms = Yo voy, Tú vas, Usted va, Él va, Nosotros vamos, Ustedes van,
        Ellos van.

Hint! The verbs for **YO** end in **-O**

except for: **Voy** (I go), **Soy** (I am), **estoy** (I am) and **doy** (I give)

    The verbs for **TÚ** end in **-S**
    The verbs for **Él, Ella** and **Usted** end in **-A** or **-E**
    The verbs for **Nosotros** end in **-MOS**
    The verbs for **Ustedes** and **Ellos/Ellas** end in **-N**

PARA ESCRIBIR

1. The following exercises are for you to practice different verb forms. Looking at the verb chart in the previous page, fill in the blanks with the different forms for each verb.

A. TENER

    1. Yo .... un gato.

    2. Mi hermano .... una tortuga

    3. En mi familia, nosotros .... dos animalitos.

    4. ¿Tú .... un perro?

    5. ¿Cuántos animales .... ustedes?

B. QUERER

    1. Mi hermana tiene un gato, pero ....un perro.

    2. ¿Tú también *(also)* ....un perro?

    3. Yo ....una bicicleta.

    4. Nosotros................................. una casa grande.

C. IR

    1. Miguelito .... al mercado de animales con *(with)* su mamá.

    2. Ellos .... a comprar un pescadito.

    3. Papá y yo .... a comprar un chihuahua.

    4. ¿Cuándo... ustedes de vacaciones?

NOMBRE: _____ FECHA:_____CLASE_____

D. ESTAR

1. Raúl .... en la escuela.

2. Nosotros .... en la clase.

3. Los libros .... en la mesa.

4. ¡Yo .... aquí!

E. SER

1. Raúl .... muy inteligente.

2. Yo .... un poco baja.

3. Nosotros .... de Argentina.

4. ¡Tú................................... muy bonita!

Check your answers with the Answer Key.

2. Circle the one of the two verb forms in parenthesis that goes best.

a. Los amigos de Miguelito (tengo - tienen) un perro.

b. Miguelito (quiere - está) un canario.

c. Mañana, ellos (van - están) al mercado para (comprar - querer) un canario.

d. ¿Dónde (estás - estoy) tú ahora ?

e. (Hay – Están) cinco vocales en el alfabeto.

f. (Dibuja – Escucha) la música.

g. ¿Quién (está – es) tu profesor?

h. ¿Dónde (es - está) tu libro?

i. (Escribe - lee) con el lápiz.

j. ¿Cómo (se llama - se dice) tu profesor?

k. ¿Cómo (se llama - se dice) "good morning" en español?

PARA ESCUCHAR Y ELEGIR

Listen to the Audio CD and make a circle around the words you hear:

a. Mi hijo es   **gordo**   **tonto**   **estudioso**   **bajo**

b. Mi hija es   **guapa**   **flaca**   **alta**   **baja**

c. Mi esposo es   **perezoso**   **moreno**   **inteligente**   **sereno**

d. Mi hermana es   **bajita**   **bonita**   **flaquita**   **feíta**

Check your answers with the Answer Key.

Lección 13: Los parientes

PARA DIBUJAR *(to draw)* Y ESCRIBIR

Look at the **árbol genealógico** *(family tree)* in your Textbook, p. 44 and draw your own. Include yourself. Under each name add their relationship to you. You may use:

Yo mamá papá hijo hija esposo esposa hermano hermana medio hermano media hermana tío tía abuelo abuela

Look at the vocabulary in your Textbook, p. 44-45.

LETRAS REVUELTAS: Los parientes

A. Find the Spanish word that matches the definitions:

B. Look for the words in the "Letras revueltas" and mark them with a highlighter.

1. Mi hermana es la .... de mi mamá
2. La hermana de mi mamá es mi ....
3. La mamá de mi mamá es mi ....
4. El hermano de mi papá es mi ....
5. La hija de mi tío es mi ....
6. El papá de mi mamá es mi ....
7. El hijo de mi tío es mi ....

```
p  a  p  o  a  p
r  a  t  a  b  r
i  t  í  a  u  i
m  i  o  n  e  m
a  b  u  e  l  o
m  h  i  j  a  s
```

PARA ESCRIBIR

Write the answer to these questions about your family:

1) ¿Cuántos hijos e hijas tienen tus padres *(parents)*? ....

2) ¿Cuántos hijos e hijas tienen tus abuelos? ....

3) ¿Tú tienes hermanastras o hermanastros? ....

4) ¿Tú tienes madrastra o padrastro? ....

5) ¿Tú tienes abuelas o abuelos? ¿Cuántos? ....

PARA ESCUCHAR y ESCRIBIR

Listen to the CD and complete the sentences.

El .... de Alicia se llama Juan.

La mamá .... Silvana. Alicia tiene dos ....

Ella también tiene ...., ...y muchos ....

Pero no tiene .... Y tú, ¿tienes abuelos?

Check your answers with the Answer Key.

NOMBRE: _____ FECHA:_____CLASE_____

Lección 14: Las partes del cuerpo

Para completar

1. El ......mono...... tiene
las..............................y
los .... grandes.

2. La ......jirafa...... tiene el
.... muy largo

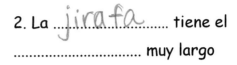

3. El ......burro......tiene las
..............................grandes.

4. Este ......sapo......tiene
solamente tres ....en
la mano.

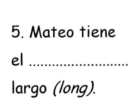

5. Mateo tiene
el ....
largo *(long)*.

Check your answers with the Answer Key.

PARA DIBUJAR Y ESCRIBIR: El extraterrestre

Imagine that you meet an extra-terrestial being. How do you imagine him/her to be? Draw him/her and, using arrows, name **EN ESPAÑOL** each part of the body. Then give him/her a name, the age and the place of origin.

Se llama ....

Tiene ....

Vive en ....

Lección 15: Las actividades

PARA LEER: Más verbos

As you know, verbs are generally equal to action. But sometimes the action is not related to any person. This is called INFINITIVE VERB.

Por ejemplo: to eat, to study, to talk...

In spanish, the endings -ar, -er, -ir indicate infinitive verbs.
Here is the list of verbs. Some of them you know and others you have just learned in lesson 15. They are in INFINITIVE form.

PARA TRADUCIR *(to translate)*

Write the translation in English by each verb

Ending in –AR	Ending in –ER	Ending in –IR
hablar	correr	decir ....
caminar	comer	dormir ....
llegar	leer	vivir ....
saltar	tener..............	ir ....
saludar	querer	escribir ....
besar	ser	preferir ....
tomar		elegir ....
mirar		traducir ....
estudiar		
tocar		
cantar		
escuchar...............		
jugar		

¡Atención!

When you have two verbs together, the second is INFINTIVE.

Vamos a **dormir** – Prefiero **escuchar** – Quiero **tocar** el piano

---

Check your answers with the glossary on your Textbook, Appendix 2

Arturo y Bobi

Can you write a verb for each action below?
Choose them from the following list (they are not in order):

trabajar / camina / escribe / dice / besa / llega / corre / salta
come / quiere / va

Modelo:

Arturo *lee*. Bobi
prefiere *escuchar*.

1. Arturo...............
a trabajar.
2. Bobi. también
.....................ir a
....

3. El Chofer..............
..................¡no no no!"

4.Bobi.....................
a la casa.

5. Arturo ....
a las 2 de la tarde.

6. Bobi ....

7. Bobi. ....

8. Bobi. ....
a Arturo.

9. Arturo ....
y.............................

NOMBRE: _____ FECHA:_____CLASE_____

dormir / come / vas / habla / toca / grita / canta / va / escucha camina / bebe / mira / lee

10. Bobi .... un sandwich.

11. Arturo .... por teléfono.

12. Bobi................ música.

13. Bobi.................

14. Arturo .... un libro.

15. Bobi .... la T.V.

16. Arturo............... la guitarra y ....

17. Bobi.................... por el piano.

18. La esposa

....

19. La esposa dice: ¿Por qué no

....

a jugar al jardín?

20. Bobi................. a jugar.

21. Todos van a ....

Check your answers with the Answer Key.

PARA PRACTICAR LOS VERBOS

Do you remember the verbs ending for "YO"? Most of them end in "O".

A. Look at these sentences and then re-write them in the YO form.

Por ejemplo: a. Bobi corre por la calle.
                b. Yo corro por la calle.

1.   a. Arturo **CANTA** bien.
      b. Yo .... bien.

2.   a. Arturo **TOCA** la guitarra.
      b. Yo .... la guitarra.

3   a. Arturo **HABLA** por teléfono.
     b. Yo .... por teléfono.

4   a. El perro **MIRA** la televisión.
     b. Yo ....la televisión.

B. Complete the sentences with one of these verbs:

prefiere	va	grita	toma	come
escucha	dice	duerme	juega	canta

Por ejemplo: El perro juega en el jardín.

a. Arturo .... a trabajar.

b. El perro .... una coca.

c. Arturo .... un sandwich.

d. La mamá .... al perro.

e. El perro ....con Arturo en su cama *(bed)*.

NOMBRE: _____ FECHA:_____CLASE_____

f. Arturo ....una canción.

g. Arturo ....la guitarra.

h. Bobi .... tocar el piano.

i. El perro ....la radio.

j. El chofer .... "no, no, no".

PARA ESCUCHAR Y ELEGIR

Listen to the CD and circle the action you hear.

a. En el jardín, Bobi **corre   canta   juega   duerme   come**

b. En la casa, Arturo **habla   canta   camina   vive** con un amigo.

c. Arturo **saluda   llega   tiene   besa   toca** a Bobi.

d. Los dos **leen   estudian   escuchan   miran** la televisión.

e. Arturo **quiere escribir   quiere saltar   quiere dormir** a las once.

f. El perro **quiere   prefiere**   tocar el piano.

g. Yo voy a **estudiar   traducir   decir   escribir**   las palabras.

h. ¿Tú **vas a dormir   vas a ir   vas a vivir** aquí?

Check your answers with the Answer Key.

Lección 16: Comidas y bebidas

PARA DIBUJAR Y COLOREAR

Los huevos (amarillo y blanco)

El helado (*dos colores*)

La pizza (*varios colores*)

Palomitas (*popcorn*) (blancas)

Los frijoles (marrones)

Las fresas (rojas)

La zanahoria (anaranjada)

La sandía (roja y verde)

La lechuga (verde)

El durazno (rosado)

NOMBRE: _____ FECHA:_____CLASE_____

PARA ESCRIBIR

¿Cómo se llama? Write the name of the food.

_____   _____   _____

_____   _____   _____

_____   _____   _____

_____   _____   _____

Check your answers with your Textbook.

PARA LEER ANTES DE ESCUCHAR

¿Recuerdas?

the verbs for **YO** end in -**O**.
the verbs for **Él, Ella** or **Usted** end in a -**A** or -**E**.

Yo leo	**Yo hablo**
Él-Ella lee	**Él-Ella habla**
Usted lee	**Usted habla**

For **Tú** *(you)* the verbs end in –**S**

Por ejemplo:

> ¿Qué **comes** tú para el desayuno?
> ¿Tú **tomas** leche?

PARA ESCUCHAR Y ESCRIBIR

Listen to speaker in the CD and fill in the blanks.

1. - ¿Tú prefieres beber .... or un ....?
   - Prefiero agua.

2. - ¿Qué postre prefieres? ¿El .... o la .... de chocolate?
   - La torta de chocolate.

3. - ¿Tú bebes ....?
   - Sí, siempre.

4. - ¿A qué hora .... ?
   - A las siete y media, más o menos.

5. - ¿A qué hora .... el desayuno?
   - A las ocho.

Check your answers with the Answer Key.

NOMBRE: _____ FECHA:_____CLASE_____

Lección 17: ¿Tienes hambre?

PARA ESCRIBIR

1. Escribe tu comida o bebida preferida:

Tengo sed. Quiero beber (o tomar)..

Tengo hambre. Quiero comer ....

Tengo ganas *(desire)* de comer un postre. Quiero ....

Tengo ganas de comer una fruta. Quiero ....

2. ¿Cómo se dice...?

a. You are in a **mercado** (market). You need to ask "how much is ...".
   How do you say it in Spanish?

   ¿........................... ....?

b. You are in a **restaurante, café** (coffee shop) or **puesto de comidas** (food stand). You need to say "I want...." or "please, give me ....".
   How do you say it in Spanish?

   ....

   ...., ...

c. How do you say "I am hungry"?

   ....

d. How do you say "I am thirsty"?

   ....

   Check your answers with the Answer Key.

53

PARA LEER ANTES DE *(before)* ESCUCHAR

You know that the verbs for **YO** end in "-o", the verbs for **TÚ** end in "-s" and the verbs for **ÉI, Ella** or **Usted** end in a vowel.

For **Nosotros** (we), the verbs end in –amos or –emos.

Example:
Nosotras hablamos bien
¡Nosotros queremos hablar bien!

PARA ESCUCHAR Y ESCRIBIR

Listen to the dialogue and complete the sentences with the name of the food.

1. - ¿Qué comen ustedes para el desayuno?

    - Para el desayuno comemos........................con ....

2. - ¿Y para el almuerzo?

    - Para el almuerzo nosotros comemos un sandwich de

    .... y una..

3. - ¿Qué toman a la tarde?

    - A la tarde tomamos .... y

    comemos unos ....

4. - ¿Y qué comen para la cena?

    - Para la cena comemos .... con ....o

    .... sopa.

5. - ¿Comen ....?

    - Sí, siempre.

    - ¡Qué rico!

Check your answers with the Answer Key.

NOMBRE: _____ FECHA:_____CLASE_____

Lección 18: ¿Qué te gusta?

PARA ESCRIBIR y EMPAREJAR

Match the items in the two columns. Use **CON** or **SIN** and make affirmative or negative sentences.

	¿con o sin?	
1. Me gusta la leche		a. helado
2. Me gustan las palomitas (popcorn)		b. vinagre
3. Me gusta la ensalada		c. mermelada
4. Me gusta el pastel de manzana		d. azúcar
5. Me gustan las tostadas		e. manteca
6. Me gustan los churros*		f. dulce de leche*

Modelos:

Me gusta la leche **SIN** azúcar (or) Me gusta la leche **CON** azúcar.
No me gusta la leche **CON** azúcar (or) No me gusta la leche **SIN** azúcar

1. ....

2. ....

3. ....

4. ....

5. ....

6. ....

7. ....

8. ....

9. ....

Check your answers with the Answer Key.

*dulce de leche = a sweet spread made of cooked milk and sugar, to put on bread or pancakes.
*churros = a pastry, like a tube, fried and sometimes filled with cream or dulce de leche.

PARA LEER ANTES DE ESCUCHAR

In lesson 15 of this workbook, you read about **INFINITIVE VERBS** (ending in –ar, -er, -ir) They are used:

a. After the verb **"gusta"**.

Por ejemplo: Me gusta comer en un restaurante.

b. If they follow other verbs.

Por ejemplo: Yo quiero comer en un restaurante.
                      La maestra va a almorzar en la cafetería.
                      Los chicos prefieren beber jugo.

c. After words called "prepositions", such as **"para"** or **"antes de…"**.

Por ejemplo: Quiero un cuchillo para cortar la carne.
                      Me gusta leer antes de escuchar.

PARA ESCUCHAR Y ESCRIBIR

Listen to the CD and add the verbs of this list. The verbs (out of order) are: **cortar, escuchar, limpiarme*, poner, beber, leer**

1. Prefiero …………………………un refresco.

2. ¿Quieres ………………………las salchichas en el pan o en el plato?

3. Quiero un cuchillo para ………………………………el pan.

4. Necesito *(I need)* una servilleta para ………………………… la boca.

5. Me gusta ……………… la explicación antes de …………………………..

* The "me" here means "myself". Therefore, *limpiarme* means: to clean myself.

Check your answers with the Answer Key.

NOMBRE: _____ FECHA:_____CLASE_____

Lección 19: La ropa y los objetos personales

PARA ESCRIBIR

1. Write the name of each ▬▬▬▬ object.

_____   _____   _____

_____   _____   _____

_____   _____   _____

_____   _____   _____

Check your answers with the Textbook p.62.

2. Look at p. 64 and 65 in your Textbook, and answer the questions.

New verbs: **vivir** = to live - **usar** = to use - **llevar** = to wear

a. ¿De qué país son estos chicos? ....

b. ¿En qué parte de las Américas viven los mayas? ....

c. ¿Cómo es la falda de las mujeres mayas? ....

d. ¿Qué usan las mujeres en el pelo?..

e. ¿Qué lleva el chico en la cabeza?..

f. ¿Cómo son los pantalones del chico?..

g. ¿Quién hace la ropa en la familia? ....

h. ¿Qué usan para hacer la ropa?...

Check your answers with the Answer Key.

NOMBRE: _____ FECHA:_____CLASE_____

58

3. Dibújate a ti mismo (Draw a picture of yourself) wearing your favorite clothes. Label each article of clothing in Spanish and have fun!

PARA ELEGIR: Objetos personales.

Read each phrase and circle the object you would use in each case:

a. Para dormir, uso **(jabón – perfume- pijamas)**

b. Cuando hace frío, uso **(la toalla - las zapatillas - los guantes)**

c. Para cortar el pelo, uso **(el cepillo de dientes - el champú - las tijeras)**

PARA ESCUCHAR Y ESCRIBIR

Listen to the dialogue between "**El cliente**" *(the client)* y "**El empleado**" *(the attendant).* Can you fill in the blanks?

Tienda "La Buena Vista"

Empleado:............................... ¿Qué deseas?

Cliente: Buenos días, señor. Quiero ....

Empleado: ¿De qué .... quieres los pantalones?

Cliente: Prefiero .... o marrón. No .... blanco.

Empleado: ¿Cúal es tu ....?

Cliente: ....

Empleado: Muy bien. Aquí están.

Más tarde (later on)

Cliente: Me quedan bien. ¿........................... ....?

Empleado: .... Pero hay descuento para estudiantes.

Cliente: Bueno. Está bien. ¡Los llevo! *(I'll take them).*

Check your answers with the Answer Key.

NOMBRE: _____ FECHA:_____CLASE_____

Lección 20: Mi casa

PARA ESCRIBIR Responda a las preguntas:

¿Qué hay en esta cocina?

Hay

una ....

una ....

y una ....

Hay ....

....

....

¿Qué hay en este dormitorio?

¿Qué hay en esta sala?

Hay ....

....

....

Check the answers with the Textbook.

PARA DIBUJAR Y ESCRIBIR: El plano de mi casa.

Look at the plan of the house in your Textbook, p. 66, and review
the vocabulary. Then, name the rooms in this house:
la cocina   la sala   el comedor   el dormitorio   el baño

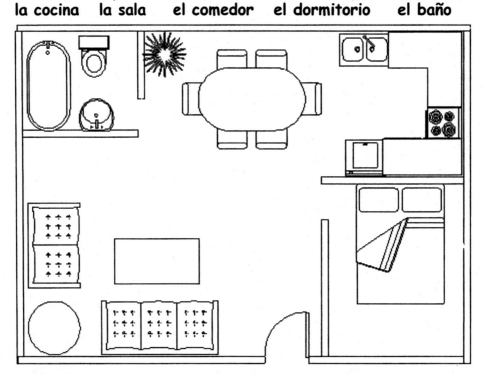

PARA DIBUJAR

Review the lesson on **"El diminutivo"** in your Textbook, p. 69.
Then draw a picture above each word.

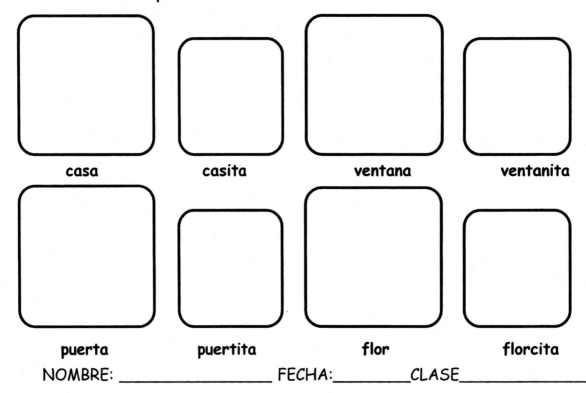

| casa | casita | ventana | ventanita |

| puerta | puertita | flor | florcita |

NOMBRE: _____ FECHA:_____CLASE_____

PARA LEER

Before doing the next exercises, look at the verb **"poner"** *(to put)*.
Like the verb **"tener"**, **"poner"** also ends in **"-go"** for the YO form:

PONER *(to put)*

Yo pongo	Nosotros ponemos
Tú pones	
Usted pone	Ustedes ponen
Él/Ella pone	Ellos/Ellas ponen

PARA ESCRIBIR: ¿Dónde ponemos estas cosas?

Alicia has moved to her new house. She's a little messy and puts things in the wrong place. Can you help her?

1.   En la cocina hay: unos sillones, una cama y una bicicleta
      ¡No, Alicia! tú debes *(you should)* poner.

      a. los sillones en ....

      b. la cama en ....

      c. la bicicleta en ....

2.   En la sala hay: una heladera or un refrigerador, un inodoro y un ropero.
      ¡No, Alicia! Debes poner

      a. la heladera en ....

      b. el inodoro en ....

      c. el ropero en ....

3.   En el baño hay: una mesa y 6 sillas, una cómoda y el equipo de música.
      ¡No, Alicia! Debes poner

      a. la mesa y las sillas en ....

      b. la cómoda en ....

      c. el equipo de música en ....

Check your answers with the Answer Key.

PARA ELEGIR

Look at the verb **"poner"** in p. 63 and then circle one verb, to match
with the subject.

1. Yo **pongo pones   ponemos** la bicicleta en el garage.

2. Ustedes **pongo ponen pones** la TV en la sala.

3. ¿Por qué **ponemos pongo pones** tú el inodoro en la cocina?

4. Alicia **pone pones ponen** el espejo en el dormitorio, ¡finalmente!

PARA COMPLETAR. ¿Quién habla?

A. Look at the verbs **PONER** and fill in the blanck with the subjects:
Yo, tú, or Alicia.

1. .... pongo la jarra en la mesa.

2. ¿Por qué ....pones el queso en el refrigerador?

3. .... no pone la ropa en la cómoda.

B. Now look at the subjects and fill in the blank with
pongo, pones or **pone.**

1. Yo siempre.............................. mi ropa en el ropero.

2. Alicia ....los zapatos debajo de la cama.

3. ¿Y tú? ¿Dónde .... tus zapatos?

Check the answers with the Answer Key

NOMBRE: _____ FECHA:_____CLASE_____

Lección 21: El pueblo

PARA DIBUJAR Y ESCRIBIR

1. Look at the **dibujo** in your Textbook, Lección 21, p.70. Draw your
    own version of a **pueblo** or **barrio**, real or imagined. Include
    edificios such as **escuela, correo, iglesia, banco**, etc. Then form
    sentences indicating where each **edificio** is located.

Por ejemplo: La escuela está cerca de la plaza.
                 La iglesia está lejos del hospital.
                 El hospital está a la izquierda del parque.

Sentences:

....

....

....

2. Look at this DOCUMENTO DE IDENTIDAD and answer the questions.

Nombre: *Alicia Carroza*

Edad: *15 años*

Domicilio: *Calle Salta N° 5*
Ciudad: *Rosario*
País: *Argentina*

Ocupación: *Estudiante*
"Escuela Secundaria España"

a. ¿Cómo se llama? ....
b. ¿Dónde vive? ¿En qué ciudad? ....
c. ¿Dónde estudia? ....
d. ¿Cuántos años tiene? ....
e. ¿Cuál es la dirección? *(address)*..

PARA MARCAR: En el centro comercial

Review the verb **"VER"** (to see) in your Textbook, p.73, and then circle any form of this verb that appears in this dialogue.

Rosa y su amiga van al centro comercial y ven mucha ropa bonita en la vitrina *(window)* de una tienda.

Amiga: Rosa, ¿Ves esa camisa?

Rosa: ¿Cuál camisa? ¡Yo veo muchas!

Amiga: La camisa verde. Vamos a la tienda para ver cuánto cuesta.

Empleada: Chicas, ¿Qué quieren ver ustedes?

Amiga: Me gusta la camisa verde, pero nosotras no vemos el precio.

Empleada: Ah, vamos a ver......Es sólo $250.

Rosa: ¡Uy uy uy..! Ya veo que es muy cara.

Check your answers with the Answer Key.

NOMBRE: _____ FECHA:_____CLASE_____

Lección 22: Los mandatos

PARA ELEGIR

Mateo has a dog, Toto, who is very disobedient. Circle what you think Mateo tells him. (You need to review the words for "Commands" in your Textbook, p. 74 and 75)

Modelo: Toto no quiere caminar.

Mateo le dice a Toto: ¡Corre!   ¡Camina!   ¡Vuelve!

1. Toto quiere ir a la calle, pero hay un coche que va muy rápido.

    Mateo le dice:
       ¡Ve a la calle!   ¡No vayas a la calle!   ¡Ven a la calle!

2. Toto no quiere sentarse.
    Mateo le dice:
       ¡levántate!   ¡dame la pata!   ¡siéntate!

3. Es la hora de dormir.
    Mateo le dice:
       ¡Busca la pelota!   ¡acuéstate!   ¡No corras!

4. Por la mañana, Toto no quiere levantarse.
    Mateo le dice:
       ¡duerme!   ¡dame un beso!   ¡levántate!

5. Mateo es muy perezoso y no quiere ir a buscar el periódico.
    Mateo le dice a Toto:
       ¡trae el periódico!   ¡come el periódico!   ¡lee el periódico!

6. Toto no escucha a Mateo.
    Mateo le dice a Toto:
       ¡óyeme!   ¡mírame!   ¡déjame!

Check your answers with the Answer Key.

PARA ESCRIBIR

¿Qué le dice Arturo a Bobi en estas figuras?

a. ....   b. ....   c. ....

PARA ESCUCHAR Y ESCRIBIR

Listen to the CD. Pepita's mother gives her many orders.
Fill in the blanks with the missing words.

A las 10:00 de la mañana, la mamá dice:

- Pepita,(1) .... Es tarde.

A las 11:00: - Pepita,(2)............................tu desayuno y (3)......................... al

mercado para comprar pan. (4)..rápido. No te

quedes *(don't stay)* a mirar a los chicos.

A las 12:00: – Pepita, (5).....................................la leche en el plato del gato.

A las 2:00: – Pepita, (6)........................ tu tarea. (7)............................ la tele.

A las 3:00 de la tarde, el papá llega a casa. Y dice:

- Pepita, (8).. conmigo. Trae tu (9) ....

porque (10)...al parque.

Check your answers with the Answer Key.

NOMBRE: _____ FECHA:_____CLASE_____

Lección 23: ¿Cómo están ellos?

We have used the verb **ESTAR** to indicate "places":
Los chicos están en el parque

Now we will use **ESTAR** to indicate how people are:
Los chicos están contentos

ESTAR is used for conditions such as these:
cansado, flaco, gordo, preocupado, enfermo, triste, contento

These are all adjectives and, as such, their gender and number have to agree with the subject (person or thing). Look at the endings in these examples:

Juan *está*	Laura *está*	Los chicos *están*	Las chicas *están*
cansado	**cansada**	**cansados**	**cansadas**
masculino singular	*femenino singular*	*masculino plural*	*femenino plural*

PARA ESCRIBIR

1. Look at the figures and, choosing from the list given above (cansado, enfermo, contento, preocupado, etc.) say how they are feeling.
Chose the feminine form if applicable:

  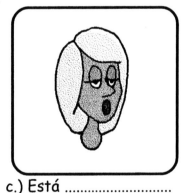

a.) Está ....   b.) Está ....   c.) Está ....

2. Re-write the B. sentences by changing the adjective to match the subject.

1a. El profesor está enfermo   1b. La profesora ....
2a. Mi perro está gordo.   2b. Mis perros ....
3a. Nosotros estamos cansados.   3b. Nosotras ....

Note: "triste" and other adjectives ending in "e" do not have a feminine form.

PARA ELEGIR

¿Qué tenemos que hacer o decir?

Complete the sentences choosing the best answers

1. Cuando estamos cansados, tenemos que ....

      correr   descansar   jugar

2. Cuando estamos flacos (*or* delgados), tenemos que ....

      beber más   correr más   comer más

3. Cuando estamos gordos, tenemos que ....

      hacer ejercicios físicos   comer más   tomar sol

4. Cuando estamos preocupados, tenemos que ....

      ir al dentista   tomar vacaciones   trabajar más

5. Cuando estamos enfermos, tenemos que ....

      ir a la escuela   ir al médico   ir a la playa *(beach)*

6. Cuando estamos tristes, tenemos que ....

      ver una película cómica   ver una película triste

7. Cuando un amigo está cansado, le decimos ....

      ¡vete a la cama!   ¡levántate!   ¡no te duermas!

8. Cuando un amigo está enfermo, le decimos ....

      ¡practica ejercicios!   ¡no vayas a la escuela!   ¡come chocolate!

9. Cuando un amigo está triste, le decimos ....

      ¡vamos al cine!   ¡acuéstate!   ¡no mires la tele!

10. Cuando un amigo está preocupado, le decimos ....

      ¡no te preocupes!   ¡no te sientes!   ¡no te levantes!

Check your answers with the Answer Key.

NOMBRE: _____ FECHA:_____CLASE_____

Lección 24: ¿Qué está haciendo?

PARA LEER Y ESCRIBIR
Las actividades en progreso

These sentences are in the present tense. You need to re-write them in "present progressive".

Remember: Estar + -ando *or* **-iendo**

Modelo:

Yo trabajo en el jardín   *(I work in the garden)*
Yo estoy trabajando en el jardín.   *(I am working in the garden)*

Roberto escribe la lección   *(Roberto writes the lesson)*
Él está escribiendo la lección   *(He is writing the lesson)*

1a. Yo hablo por teléfono.
1b. Yo estoy .... por teléfono.

2a. La maestra trabaja.
2b. La maestra está ....

3a. Los chicos corren en el parque.
3b. Los chicos están .... en el parque.

4a. Toto come su ración.
4b Toto está .... su ración.

5a. Nosotros estudiamos.
5b Nosotros estamos ....

Check your answers with the Answer Key.

PARA ESCUCHAR Y ESCRIBIR

Cristina y Mariano están enfermos.
They cannot leave the room, so they are peeking through the window.
Listen to the CD and fill in the blanks.

Cristina: ¿Qué (1) ....?

Mariano: (2).....................a un chico.

Cristina: ¿Qué está (3)..............................?

Mariano: (4)......................... andando en bicicleta.

Cristina: ¡Ah! Yo quiero (5).........................

Mariano: Cristina, ¿Qué (6)........................... tú?

Cristina: Estoy (7)........................... a otro chico.

Mariano: ¿Y qué . (8)...................... haciendo?

Cristina: Está (9)........................ en TU bicicleta!

Mariano: !Ay, ay, ay!

Check your answers with the Answer Key.

¡Y éste es el fin del cuaderno de ejercicios!
¡Felices vacaciones!

NOMBRE: _____ FECHA:_____CLASE_____

Answer Key

Lección 1

PARA ESCRIBIR. 2. Las palabras: 1. llama **2**. burro **3**. zorro **4**. vaca **5**. oso **6**. gato **7**. perro **8**. abeja **9**. ñandú.
PARA ESCUCHAR. Columna A: león / zorro / gato / jirafa / guante / buey
Columna B: rata / koala / perro / elefante / zorro / veinte
Columna C: vaca / llama / cocodrilo / perro / bufanda / media / ¡Adiós!

Lección 2

PARA EMPAREJAR. 2. ¡Hola!: Hola, ¿Cómo estás? / Bien. ¿Y tú? / Bien
PARA ESCRIBIR. 1. ¿Cómo te llamas?: llamas / me / llamo
Un poco de geografía. C. Las capitales: 1. Santiago **2**. Montevideo **3**. Lima **4**. Bogotá **5**. Caracas **6**. San José **7**. Managua **8**. Ciudad de México **9**. La Habana **10**. Madrid **D. Frases afirmativas y negativas: a**. Sí, él habla español. **b**. Sí, él habla español. **c**. Sí, ella habla español. **d**. No, él no habla español.

Lección 3

PARA MARCAR ¿Está bien o está mal?: a. está bien **b**. está mal **c**. está bien **d**. está mal **e**. está mal
PARA ESCUCHAR Y ESCRIBIR. 1. 20 **2**. 7 **3**. 11 **4**. 12 **5**. 15 **6**. 19

Lección 4

PARA CHICOS Y GRANDES: rojo/ amarillo / verde.
PARA ESCRIBIR ¿De qué color es?: 1. gris **2**. amarillo y negro **3**. anaranjadas **4**. marrón. **5**. blanca. **6**. azul. **7**. verdes, amarillas y rojas.
PARA ESCUCHAR Y COLOREAR: 1. amarilla y negra **2**. marrón **3**. gris **4**. anaranjada **5**. verde **6**. violeta **7**. blanca **8**. rosada **9**. rojo **10**. blanca y negra

Lección 5

PARA ESCUCHAR Y EMPAREJAR: 1. en el piso **2**. debajo de la mesa **3**. en el pupitre **4**. en la mochila **5**. en la pared

CRUCIGRAMA

```
        l  i  b  r  o
        c  u  a  d  e  r  n  o
l  á  p  i  z  s     p           m
o  p  e  r  p  u  p  i  t  r  e
p  a  p  e  l  r     s           s
        s  i  l  l  a  g  o  m  a  a
```

Lección 6

PARA ESCRIBIR Y EMPAREJAR: a. tiene **b.** tengo **c.** tienes **d.** tiene
PARA COMPLETAR: A. tienes **B.** años **C.** el perro **D.** años **E.** cuántos **F.** tengo
LA MAESTRA, TÚ O YO? a. la maestra **b.** yo **c.** tú **d.** yo **e.** la maestra **f.** tú.
PARA ESCUCHAR Y MARCAR: a. unos lápices **b.** un coche blanco **c.** 16 años
d. un reloj **e.** una casa pequeña.

Lección 7

PARA ESCUCHAR Y ELEGIR: 1. martes **2.** miércoles **3.** viernes / música
4. sábados y domingos

Lección 8

PARA ESCUCHAR Y ELEGIR: a. 35 **b.** 25 chicas y 10 chicos **c.** muchas / pocos **d.**
26 **e.** 50
PARA ESCRIBIR: **1.** muchos **2.** pocos **3.** muchas **4.** pocas

Lección 9

PARA ESCRIBIR: 1. Son las tres menos cinco / Son las siete y veinticinco./ Es la una
y media. **2. ¿De la mañana, de la tarde o de la noche? a.** Son las once y cinco de la
noche. **b.** Son las cinco y cuarto (quince) de la tarde **c.** Son las siete y media (treinta) de
la mañana **d.** Son las cuatro y veinticuatro de la mañana **e.** es la una y veinte de la tarde.
3. La hora en el mundo: 1. Son las 7 de la mañana. **2.** Son las 5 de la mañana **3.** Son las
5 de las mañana **4.** Son las 3 de la mañana.

Lección 10

PARA ESCRIBIR: **2. Más preguntas: a.** doce **b.** Answers vary **3. Para completar:**
a. julio y agosto **b.** octubre y noviembre **c.** enero y febrero **d.** abril y mayo **e.** 25 de
diciembre **f.** 1º de enero **g.** 4 de julio **h.** answers vary **i.** answers vary **j.** answers vary **k.**
cumpleaños **4. a.** lloviendo **b.** calor **c.** frío **d.** nublado **e.** sol **f.** nevando **g.** fresco
PARA ESCUCHAR Y ESCRIBIR: 1. 15 **2.** julio **3.** cumpleaños **4.** hace frío **5.** tiempo
6. calor **7.** el verano

Lección 11

PARA EMPAREJAR: 1. d **2.** g **3.** b **4.** c **5.** i **6.** j **7.** l **8.** k **9.** e **10.** h **11.** f **12.** a
PARA ESCUCHAR Y ELEGIR: 1. patitos **2.** perro **3.** pato **4.** vaca **5.** oveja.
PARA EMPAREJAR: 2. 1. él **2.** ellos **3.** ella **4.** ellos **5.** ustedes **6.** usted
PARA ESCRIBIR: Diálogo 1: vas / voy / va. **Diálogo 2:** quieres/ quiero / queremos.

Lección 12

PARA ESCRIBIR: 2. a. gorda **b.** bonita / simpática **c.** delgado.
PARA EMPAREJAR: 1. c **2.** d **3.** b **4.** e **5.** a **6.** h **7.** i **8.** f **9.** g
PARA ESCRIBIR. 1. A.1. tengo **2.** tiene **3.** tenemos **4.** tienes **5.** tienen **B. 1.** quiere **2.**
quieres **3.** quiero **4.** queremos **C. 1.** va **2.** van **3.** vas **4.** van **D. 1.** está **2.** estamos **3.** están **4.**
estoy. **E. 1.** es **2.** soy **3.** somos **4.** eres. **2. a.** tienen **b.** quiere **c.** van / comprar **d.** estás **e.**
hay **f.** escucha **g.** es **h.** está **i.** escribe **j.** se llama **k.** se dice
PARA ESCUCHAR Y ELEGIR: estudioso / alta / moreno / bajita

Lección 13

LETRAS REVUELTAS: 1. hija **2.** tía **3.** abuela **4.** tío **5.** prima **6.** abuelo **7.** primo

```
p         a    p
r    t    b    r
i    t    í    a    u    i
m    o         e    m
a    b    u    e    l    o
     h    i    j    a
```

PARA ESCUCHAR Y ESCRIBIR: papá / se llama / hermanos / tíos / tías / primos / abuelos

Lección 14

PARA COMPLETAR: 1. gorila / manos / pies **2.** jirafa / cuello **3.** burro / orejas **4.** sapo / dedos **5.** pelo

Lección 15

PARA LEER Y ESCRIBIR: Arturo y Bobi. 1. va. **2.** quiere / trabajar **3.** dice **4.** camina **5.** llega **6.** corre **7.** salta **8.** besa **9.** escribe / come **10.** come **11.** habla **12.** escucha **13.** bebe **14.** lee **15.** mira **16.** toca / canta **17.** camina **18.** grita **19.** vas **20.** va **21.** dormir
PARA PRACTICAR LOS VERBOS: A. 1. corro **2.** toco **3.** hablo **4.** miro **B. a.** va **b.** toma **c.** come **d.** grita **e.** duerme **f.** canta **g.** toca **h.** prefiere **i.** escucha **j.** dice
PARA ESCUCHAR Y ELEGIR: a. corre **b.** habla **c.** saluda **d.** miran **e.** quiere dormir **f.** prefiere **g.** traducir **h.** vas a vivir

Lección 16

PARA ESCUCHAR Y ESCRIBIR: **1.** agua / refresco **2.** helado / torta de chocolate **3.** leche **4.** almuerzan **5.** tomas

Lección 17

PARA ESCRIBIR: 2. ¿Cómo se dice....? **A.** ¿Cuánto cuesta? **B.** Quiero / o Por favor, deme **C.** Tengo hambre **D.** Tengo sed
PARA ESCUCHAR Y ESCRIBIR: 1. pan / mantequilla **2.** pollo / ensalada **3.** leche / bizcochos **4.** carne / papas / tomamos **5.** postre

Lección 18

PARA ESCRIBIR Y EMPAREJAR: 1. d **2.** e **3.** b **4.** a **5.** c **6.** f
PARA ESCUCHAR Y ESCRIBIR:.1. beber **2.** poner **3.** cortar **4.** limpiarme **5.** leer / escuchar

Lección 19

2. LA ROPA DE LOS MAYAS: a. Guatemala **b.** Centro América **c.** larga y estrecha. **d.** una cinta **e.** un sombrero **f.** blancos con rayas negras y un poco cortos **g.** la mamá **h.** un telar.
PARA ELEGIR: a. pijamas **b.** los guantes **c.** las tijeras
PARA ESCUCHAR Y ESCRIBIR. En la tienda: Buenos días / unos pantalones / color negro/ me gusta / número / Treinta y ocho / ¿Cuánto cuestan? / 100 pesos

Lección 20

PARA ESCRIBIR ¿Dónde ponemos estas cosas?: 1. a. la sala **b.** el dormitorio **c.** el garage **2. a.** la cocina **b.** el baño **c**. el dormitorio **3. a.**el comedor **b.** el dormitorio **c.** la sala
PARA ELEGIR: 1. pongo **2.** ponen **3.** pones **4.** pone
PARA COMPLETAR ¿Quién habla?: A. 1. yo **2.** tú **3.** Alicia **B. 1.** pongo **2.** pone **3.** pones

Lección 21

2. Documento de identidad: a. Alicia Carroza **b**. Rosario **c.** Escuela Secundaria España **d**. 15 años **e.** Calle Salta Nº.5 **En el centro comercial:** ves / veo / ver / ver / vemos / ver / veo

Lección 22

PARA ELEGIR: 1. no vayas a la calle **2.** siéntate **3.** acuéstate **4.** levántate **5.** trae el periódico **6.** óyeme

PARA ESCRIBIR: a. ven **b.** dame la pata **c.** acuéstate.
PARA ESCUCHAR Y ESCRIBIR: 1. levántate **2.** toma **3.** ve **4.** vuelve **5.** pon **6.** haz **7.** no mires **8.** ven **9.** chaqueta **10.** vamos

Lección 23

PARA ESCRIBIR: 1. a. preocupado **b.** contenta **c.** triste / cansada **2. 1b.** está enferma **2b.** están gordos **3b.** estamos cansadas
PARA ELEGIR: 1.descansar **2.**tomar vitaminas **3.**hacer ejercicios físicos **4.**tomar vacaciones **5.**ir al médico **6.**ver una película cómica **7.**vete a la cama **8.**no vayas a la escuela **9.**vamos al cine **10.**no te preocupes

Lección 24

PARA LEER Y ESCRIBIR: 1. hablando **2.** trabajando **3.** corriendo **4.** comiendo **5.** estudiando
PARA ESCUCHAR Y ESCRIBIR. Cristina y Mariano están enfermos: 1. ves **2.** veo **3.** haciendo **4.** está **5.** ver **6.** ves **7.** viendo **8.** está **9.** llevando